vemytotebag

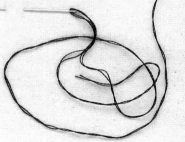

Sonia Lucano

TOTE BAGS

20 sacs
à réaliser soi-même

Photographies : Frédéric Lucano
Stylisme : Sonia Lucano

hachette
LOISIRS

INTRODUCTION

Définition : TOTE BAG n.m. ; petit sac, à la coupe très simple, le plus souvent en toile de coton écru et porté à l'épaule. Traduction de « *carryall* » : fourre-tout.

Si, à l'origine, le Tote Bag était souvent utilisé par les marques à des fins publicitaires et dans un souci de respect de l'environnement – il permettait d'éviter l'utilisation de sacs en plastique –, il est maintenant partout dans les rues et de mise quelle que soit la circonstance. Le Tote Bag, c'est LE petit cabas *trendy* à avoir toujours avec soi.

Vous trouverez ici le patron pour réaliser facilement le Tote Bag de base, mais aussi et surtout vingt idées de customisation pour l'adapter à votre style, vos humeurs, vos sorties, etc.

Si vous n'avez aucune envie de passer par l'étape couture, vous pourrez trouver très facilement des Tote Bags vierges, notamment dans les magasins bio ou dans les boutiques de beaux-arts et de loisirs créatifs. Vous n'aurez plus alors qu'à customiser votre Tote Bag !

Vous utiliserez différentes techniques pour réaliser celui (ou ceux !) qui vous ressemble : la broderie, la peinture, la teinture, le transfert, le boutis, le tampon, etc. Et si le niveau de difficulté est indiqué pour chaque projet, sachez qu'ils sont tous accessibles, même aux plus débutantes d'entre vous ! Bref, lancez-vous !

SOMMAIRE

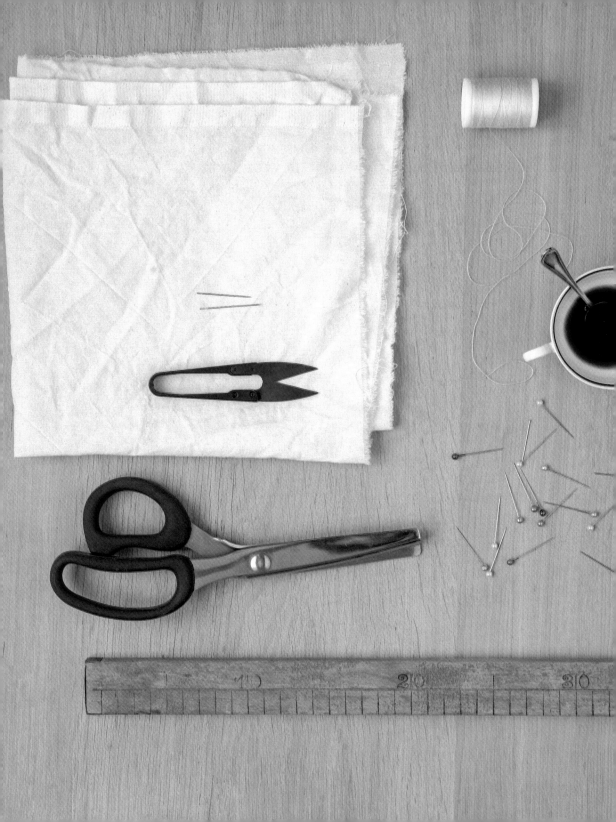

RÉALISATION DU
TOTE BAG DE BASE

Niveau de difficulté
facile
Temps de réalisation
1 h 30
Fournitures
— 1 morceau de toile de coton naturel (type toile à patron) de 100 × 150 cm de largeur
— Du fil de coton écru
— Fer à repasser

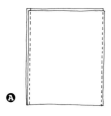

A

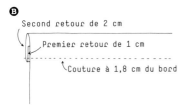

B
Second retour de 2 cm
Premier retour de 1 cm
Couture à 1,8 cm du bord

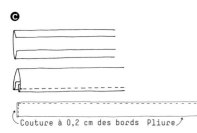

C
Couture à 0,2 cm des bords   Pliure

1. Lavez le tissu au préalable. Attention : cette étape est indispensable, d'une part, parce que le coton naturel rétrécit au lavage, d'autre part, parce que le tissu est bien plus joli lorsqu'il est un peu froissé et que les fibres se sont resserrées.

2. Repassez le tissu, puis coupez-y un rectangle de 86 × 39 cm (pour le sac) et deux lanières de 65 × 7 cm (pour les anses). Les valeurs de couture (1 cm) et d'ourlet du haut du sac (3 cm) sont incluses dans ces mesures.

3. Surfilez les deux longueurs du rectangle de tissu, puis pliez-le en deux et cousez les côtés surfilés à 1 cm du bord jusqu'en haut du sac. Repassez. **A**

4. Faites l'ourlet du haut du sac : à l'aide du fer à repasser, marquez le pli de l'ourlet. Faites un retour de 1 cm, puis de 2 cm sur l'intérieur. Retournez le sac et cousez tout le tour à 1,8 cm du bord. **B**

5. Réalisez les anses : à l'aide du fer à repasser, marquez un revers de 1 cm de chaque côté. Pliez l'anse en deux au centre sur sa longueur, puis marquez le pli au fer. **C**

6. Cousez les anses sur les trois côtés à 0,2 cm du bord.

7. Épinglez les anses à 7 cm des deux côtés en les rentrant de 3 cm dans le sac, puis cousez-les en formant un rectangle de 2 × 1,5 cm. Et voilà !

PRÉSENTATION

DES TECHNIQUES DE CUSTOMISATION

Pour customiser vos sacs selon vos envies et vos humeurs, vous utiliserez des techniques très différentes et pour tous les niveaux.

Transfert : une technique facile pour un résultat rapide… Scannez et imprimez le motif sur du papier transfert, placez ce transfert sur le sac, repassez-le à l'aide d'un fer chaud. Laissez refroidir, puis décollez doucement la feuille de protection.

Broderie : différents points de broderie à utiliser pour des effets divers : point de chaînette, point avant, point arrière, point de bouclette, passé plat… Pour découvrir les différents points de broderie, reportez-vous page 68.

Peinture textile : peignez à l'aide de peinture textile le motif que vous aurez reporté au préalable. Laissez sécher, puis repassez soigneusement le sac sur l'envers pour fixer la peinture.

Boutis : dessinez le motif et cousez au point avant (voir page 68) sur les traits. Prenez ensuite le travail sur l'envers, puis servez-vous de l'aiguille à gros chas pour passer les mèches de cotons horizontalement afin de créer le volume.

Teinture tie & dye : serrez le tissu pour faire un nœud au centre. Dans un grand faitout, faites chauffer de l'eau avec la teinture et le sel. Plongez le tissu dans la teinture jusqu'au niveau du nœud. Laissez-le tremper et rincez à l'eau froide, puis défaites le nœud. Laissez sécher et repassez.

Tampon : sculptez la forme voulue dans une pomme de terre pour créer votre tampon. Versez la peinture textile dans une assiette en carton et trempez-y le tampon. Tamponnez cette forme selon le résultat souhaité. Repassez sur l'envers pour fixer la couleur.

CUSTOMISATION DES TOTE BAGS

TOTE BAG

«THIS IS NOT»

Niveau de difficulté
Facile
Temps de réalisation
30 min
Technique
Transfert
Fournitures
- 1 Tote Bag de base
- Du papier transfert
pour imprimante
- Fer à repasser

Le sac à message! Il fait référence aux débuts du Tote Bag lorsqu'il était encore utilisé à des fins publicitaires… Super facile à réaliser car la technique du transfert ne demande aucun don particulier…

Explications

1. Scannez le motif page 69, puis agrandissez-le au format du sac et imprimez-le sur une feuille de papier transfert adaptée.

2. Découpez le motif au plus près du dessin et placez-le au centre du sac, puis repassez-le à l'aide d'un fer chaud. Attention: suivez les instructions portées sur l'emballage, n'utilisez pas la fonction vapeur (le transfert n'adhérerait pas) et déplacez constamment votre fer pour ne pas brûler le tissu.

3. Laissez refroidir le transfert, puis décollez doucement la feuille de protection.

Conseil

Ne repassez jamais directement sur le transfert: cela ruinerait immédiatement votre motif!

J.S. BAC
SEI SUITT

RICO

TOTE BAG MARINIÈRE

Niveau de difficulté

Facile

Temps de réalisation

30 min

Technique

Broderie

Fournitures

- 1 Tote Bag de base
- 1 échevette de coton
à broder DMC® doré

Élégant et simple à réaliser, un petit point avant au fil d'or à broder…

Explications

1. Tracez dix lignes de 31 cm au centre du sac en commençant à 2 cm du haut du sac et en veillant à les espacer de 3 cm.

2. Divisez l'échevette de manière à n'utiliser que deux brins de fil mouliné doré. Coupez des fils de coton de 40 cm de long.

3. Brodez au point avant (cf. page 68) en suivant les lignes.

TOTE BAG
À POCHE

Niveau de difficulté

Intermédiaire

Temps de réalisation

1 h

Technique

Couture

Fournitures

— 1 Tote Bag de base
— 1 carré de tissu imprimé de 26 × 26 cm
— 1 bouton de nacre de 1,5 cm de diamètre
— 1 lien en cuir ou en coton de 10 × 0,5 cm

Une touche vintage pour ce Tote Bag à poche imprimée.

Explications

1. Surfilez tout le tour du carré de tissu imprimé.

2. Faites les deux angles pour réaliser la poche à soufflet : pliez en deux le carré de tissu, puis épinglez pour réaliser la couture à angle droit comme indiqué sur le dessin ci-contre. Répétez l'opération sur l'autre angle. **Ⓐ**

3. À l'aide du fer à repasser, marquez un revers de 2 cm sur le côté opposé et cousez à 1,8 cm pour faire l'ourlet. **Ⓑ**

4. Marquez au fer à repasser un retour de 1 cm sur les trois autres côtés.

5. Épinglez la poche à soufflet au centre du sac et cousez-la à la main à petits points. **Ⓒ**

6. Cousez le bouton au centre de la poche à soufflet.

7. Pliez en deux le lien, puis cousez-le à 3 cm au-dessus de la poche, au niveau du bouton.

Ⓐ

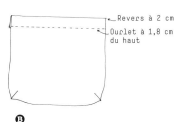

→ Revers à 2 cm

Ourlet à 1,8 cm du haut

Ⓑ

Ⓒ

TOTE BAG
OMBRE CHINOISE

Niveau de difficulté
Intermédiaire
Temps de réalisation
1 h
Technique
Peinture textile
Fournitures
- 1 Tote Bag de base
- De la peinture textile noire
- De la peinture textile orange fluo
- Pinceau fin
- Du papier carbone
- Crayon à papier

Graphique et épurée, cette jolie branche à peindre minutieusement au pinceau.

Explications

1. Décalquez le motif de la branche situé page 70, puis agrandissez-le au format souhaité à l'aide d'une photocopieuse et reportez-le au centre du sac en utilisation du papier carbone.

2. Peignez la branche à l'aide d'un pinceau fin en utilisant de la peinture textile noire.

3. Laissez sécher, puis repassez soigneusement le sac sur l'envers pour fixer la peinture.

4. Si vous le souhaitez, vous pouvez ajouter un ou plusieurs oiseaux sur les branches. Décalquez le motif situé page 70, puis agrandissez-le au format du sac à l'aide d'une photocopieuse et reportez-le sur le sac en utilisant du papier carbone et peignez-le avec de la peinture textile orange fluo.

Conseil

Si vous ne disposez pas de papier carbone, vous pouvez reporter le motif par transparence en plaçant une photocopie du motif dans le sac.

TOTE BAG

« BE HAPPY OR DIE »

Niveau de difficulté

Intermédiaire

Temps de réalisation

2 h

Technique

Broderie

Fournitures

- 1 Tote Bag de base
- 1 échevette de coton
à broder DMC® rouge
- Du papier carbone
- Crayon à papier

Juste pour ne pas oublier que la vie est belle… Mais aussi pour en rire !

Explications

1. Décalquez les motifs situés page 70, puis agrandissez-les au format souhaité à l'aide d'une photocopieuse et reportez-les au centre du sac en utilisation du papier carbone.

2. Divisez l'échevette de manière à n'utiliser que deux brins de coton à broder. Coupez des fils de coton de 50 cm de long.

3. Brodez *« Be happy »* et *« die »* au point de chaînette (cf. page 68). Brodez *« or »* au passé plat (cf. page 68).

Conseil

Si vous ne disposez pas de papier carbone, vous pouvez reporter le motif par transparence en plaçant une photocopie du motif dans le sac.

DOUBLE TOTE BAG

Niveau de difficulté

Intermédiaire

Temps de réalisation

2 h 30

Technique

Couture

Fournitures

- 1 morceau de tissu avec un motif étoiles de 50 × 100 cm
- 1 morceau de tissu à pois de 50 × 100 cm
- 1 échevette de coton à broder DMC® jaune fluo
- 1 bouton de nacre gris

Deux imprimés qui se répondent, deux couleurs qui s'opposent ou deux matières différentes… À vous d'inventer votre double Tote Bag !

Explications

1. Coupez un sac en tissu à étoile et un autre en tissu à pois en vous référant à la réalisation du Tote Bag de base (page 11). Coupez deux anses dans le tissu à pois.

2. Réalisez deux sacs en suivant les explications du Tote Bag de base. Préparez les anses.

3. Épinglez les deux sacs ensemble par le haut, puis faites deux coutures : l'une à 0,2 cm en haut du sac, l'autre sur la couture de l'ourlet. **Ⓐ**

4. Épinglez les anses sur les deux faces extérieures, c'est-à-dire une anse sur la face à pois et l'autre sur la face avec des étoiles. **Ⓑ**

5. Sur la face avant du sac, cousez le bouton au centre en haut du sac à l'aide de deux brins de fil mouliné jaune fluo. Réalisez deux boutonnières sur les deux autres pans du sac en face du bouton.

6. Brodez trois petites croix en bas à gauche avec deux brins de fil mouliné jaune fluo.

Ⓐ

Ⓑ

TOTE BAG
À FRANGES

Niveau de difficulté
Facile
Temps de réalisation
1 h
Technique
Couture
Fournitures
- 1 Tote Bag de base
- Fer à repasser
- Cutter avec une lame neuve
- 1 morceau de toile de coton de 76 × 12 cm
1 morceau de toile thermocollante écrue de 76 × 12 cm

A

B

Pour un look Pocahontas, ajoutez des franges à votre Tote Bag !

Explications

1. Posez la bande de toile de coton et celle de toile thermocollante l'une sur l'autre, puis fixez-les ensemble à l'aide du fer à repasser.

2. Tracez des lignes, dans le sens de la largeur de la bande, sur 10 cm en veillant à les espacer de 1 cm.

3. Coupez sur les lignes à l'aide du cutter de manière à former les franges (ne coupez pas dans toute la largeur).

4. Posez cette bande au bord du haut du sac.

5. Épinglez, puis terminez le Tote Bag en superposant sur 1 cm cette bande dans le sens de la largeur, de manière à adapter la bande à la largeur du sac. **A**

6. Faites deux coutures tout autour du sac : l'une à 0,2 cm du bord et l'autre à 2 cm. **B**

MINI-TOTE BAG
NUAGE

Niveau de difficulté
Difficile
Temps de réalisation
3 h
Technique
Boutis
Fournitures
- 1 morceau de toile
de coton naturelle
de 100 × 150 cm
de largeur
- Du fil à coudre écru
- Des mèches de coton
écru
- Du papier carbone
- Crayon à papier
- 1 aiguille à gros chas

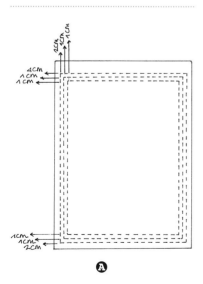

Ⓐ

Un Tote Bag tout en douceur, avec un petit nuage blanc et duveteux.

Explications

1. Lavez le tissu au préalable. Attention: cette étape est indispensable, d'une part, parce que le coton naturel rétrécit au lavage, d'autre part, parce que le tissu est bien plus joli lorsqu'il est un peu froissé et que les fibres se sont resserrées.

2. Repassez le tissu, puis coupez-y un rectangle de 80 × 39 cm et un autre de 43 × 33 cm (pour le sac), puis deux lanières de 60 × 6 cm (pour les anses). Les valeurs de couture (1 cm) et d'ourlet du haut du sac (3 cm) sont incluses.

3. Surfilez les deux longueurs des deux rectangles de tissu.

4. Épinglez le petit rectangle sur le grand, sur l'envers. Sur l'endroit, reportez au centre du carré les motifs du nuage et des gouttes (cf. page 71) que vous aurez décalqués et agrandis au format souhaité.

5. Pour réaliser le motif, utilisez la technique du boutis: cousez au point avant sur les traits du motif (c'est-à-dire le nuage, les gouttes et les trois cadres). **Ⓐ**

MINI-TOTE BAG
NUAGE

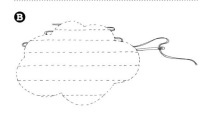

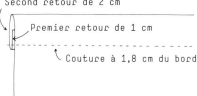

Second retour de 2 cm

Premier retour de 1 cm

Couture à 1,8 cm du bord

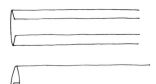

Couture à 0,2 cm des bords   Pliure

Explications (suite)

6. Prenez ensuite le travail sur l'envers, puis servez-vous de l'aiguille à gros chas pour passer les mèches de cotons horizontalement. **B**

7. Pliez le rectangle en deux et cousez les deux longueurs à 1 cm du bord.

8. Faites l'ourlet du haut du sac : à l'aide du fer à repasser, appuyer deux retours successifs de 1, puis 2 cm sur l'intérieur. Cousez tout le tour à 1,8 cm du bord. **C**

9. Réalisez les anses : à l'aide du fer à repasser, marquez un revers de 1 cm sur toute la longueur ainsi que sur la largeur. Pliez l'anse en deux au centre, puis marquez le pli également au fer. **D**

10. Cousez les trois côtés des anses à 0,2 cm du bord.

11. Épinglez les anses à 5 cm des deux côtés en les rentrant de 3 cm dans le sac, puis cousez-les sur la couture de l'ourlet du sac.

TOTE BAG

TIE & DYE

Niveau de difficulté
Facile
Temps de réalisation
1 h
Technique
Teinture
Fournitures
- 1 Tote Bag de base
- Du gros sel
- De la teinture kaki
à la main (type Dylon®)
- 1 morceau de ruban
de gros grain de coton
assorti de 120 × 2 cm

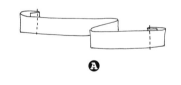

Ⓐ

N'ayez pas peur de vous lancer ! La beauté
du tie & dye réside dans son imperfection…

Explications

1. Serrez le sac dans la longueur,
puis faites-y un nœud bien serré au centre.

2. Dans un grand faitout, faites chauffer
de l'eau, puis ajoutez-y le gros sel
et la teinture (référez-vous aux
instructions portées sur l'emballage).
Plongez dans la teinture le bas du sac
jusqu'au niveau du nœud. Laissez-le
tremper au moins une demi-heure en remuant
la teinture de temps en temps. Attention :
veillez à ce que la teinture ne gicle
pas sur le haut du sac ni sur les anses.

3. Rincez le sac à l'eau froide, puis
défaites le nœud. Laissez sécher le sac,
puis repassez-le.

4. Coupez en deux le ruban de coton. À l'aide
du fer à repasser, marquez un retour de
0,5 cm, puis de 1 cm sur l'intérieur aux
deux extrémités. Faites une couture à 0,8 cm
du bord. **Ⓐ**

5. Épinglez le ruban de chaque côté du sac,
au centre, à 10 cm du haut du sac. Cousez en
formant un rectangle de 1,5 × 1 cm et une
croix au centre.

TOTE BAG
LIBERTY

Niveau de difficulté

Intermédiaire

Temps de réalisation

1 h

Technique

Couture + peinture textile

Fournitures

- 1 Tote Bag de base
- 1 carré de tissu Liberty de 30 × 30 cm
- De la peinture textile kaki
- Pinceau fin
- Du papier carbone
- Crayon à papier

Du Liberty pour répondre à une envie florale mais avec un gros numéro peint en kaki pour rester moderne.

Explications

1. Effilochez légèrement le bord du carré de tissu Liberty.

2. Décalquez le numéro de votre choix page 71, puis agrandissez-le à l'aide d'une photocopieuse et reportez-le en bas à droite du carré de tissu Liberty en utilisant du papier carbone.

3. Peignez le motif à l'aide d'un pinceau fin, puis repassez-le sur l'envers pour fixer la couleur.

4. Épinglez le carré de tissu Liberty au centre du sac, puis cousez-le à 1 cm du bord sur tout le tour.

Conseil

Si vous ne disposez pas de papier carbone, vous pouvez reporter le motif par transparence en plaçant une photocopie derrière le carré de tissu Liberty.

TOTE BAG
À SEQUINS ROSES

Niveau de difficulté
Intermédiaire
Temps de réalisation
2 h
Technique
Broderie
Fournitures
- 1 Tote Bag de base
- Des sequins roses
- Du fil assorti

Une pluie de sequins roses dont la couleur contraste avec le coton brut du Tote Bag.

Explications

Cousez des sequins de façon aléatoire sur toute la face avant du sac en veillant à remonter sur le début des anses.

TOTE BAG
À POMPONS

Niveau de difficulté

Intermédiaire

Temps de réalisation

3 h (sac compris)

Technique

Couture

Fournitures

- 1 morceau de toile
de coton naturelle
de 100 × 150 cm
de largeur
- 1 morceau de tissu
en coton Liberty
de 20 × 40 cm
- 1 cordon de coton
enduit assorti de 60 cm
- 1 morceau de cuir
souple marine de
12 × 12 cm
- De la colle textile
- Cutter avec
une lame neuve

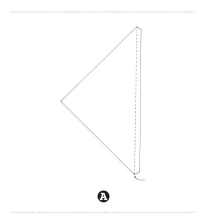

Ⓐ

Un modèle plus classique, avec
des renforts aux coins et deux petits
pompons de cuir en guise de *charms*…

Explications

1. Lavez le tissu au préalable. Attention :
cette étape est indispensable, d'une part,
parce que le coton naturel rétrécit au
lavage, d'autre part, parce que le tissu est
bien plus joli lorsqu'il est un peu froissé
et que les fibres se sont resserrées.

2. Repassez le tissu, puis coupez-y deux
rectangles de 43 × 39 cm (pour le sac), puis
deux lanières de 65 × 7 cm (pour les anses).
Les valeurs de couture (1 cm) et d'ourlet du
haut du sac (3 cm) sont incluses.

3. Surfilez les deux longueurs des deux
rectangles de tissu.

4. Coupez quatre triangles dans le tissu
Liberty en suivant le schéma ci-contre.
Repliez un ourlet de 0,5 cm sur le grand
côté, puis marquez-le au fer à repasser.
Posez le triangle sur un coin du sac,
épinglez-le et cousez-le à 0,2 cm du bord de
la partie en biais. Faites de même sur les
trois autres coins du sac (deux sur la face
avant et deux sur la face arrière). **Ⓐ**

5. Posez les deux rectangles endroit contre
endroit et cousez-les ensemble à 1 cm sur
les trois côtés.

TOTE BAG
À POMPONS

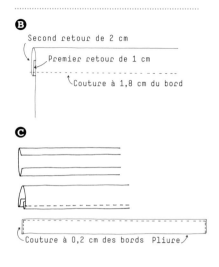

B
Second retour de 2 cm
Premier retour de 1 cm
Couture à 1,8 cm du bord

C

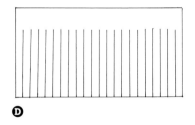

Couture à 0,2 cm des bords   Pliure

D

Explications (suite)

6. Faites l'ourlet du haut du sac : à l'aide du fer à repasser, marquez le pli de l'ourlet. Faites un retour de 1 cm, puis de 2 cm sur l'intérieur. Retournez le sac et cousez tout le tour à 1,8 cm du bord. **B**

7. Réalisez les anses : à l'aide du fer à repasser, marquez un revers de 1 cm sur toute la longueur ainsi que sur la largeur. Pliez l'anse en deux au centre, puis marquez le pli également au fer. **C**

8. Cousez les trois côtés des anses à 0,2 cm du bord.

9. Épinglez les anses à 7 cm des deux côtés en les rentrant de 3 cm dans le sac, puis cousez-les en formant un rectangle de 2 × 1,5 cm.

10. Réalisez les pompons : coupez le morceau de cuir en deux parties égales de manière à obtenir deux rectangles de 12 × 6 cm. Coupez des lanières de 4,5 cm dans le sens de la largeur en veillant à les espacer de 0,5 cm. **D**

11. Encollez la longueur non frangée, posez le cordon de coton et roulez le rectangle sur lui-même en veillant à bien serrer le pompon. Fixez-le avec une pince à linge en attendant que la colle soit bien sèche. Faites de même à l'autre extrémité du cordon en y collant un second pompon.

TOTE BAG
GÉOMÉTRIQUE

Niveau de difficulté
Facile
Temps de réalisation
1 h 30
Technique
Tampon
Fournitures
- 1 Tote Bag de base
- 1 pomme de terre
- Cutter avec une lame neuve
- De la peinture textile jaune fluo

Un sac à motifs géométriques très proches de ceux du design scandinave.

Explications

1. Coupez une pomme de terre en deux, puis sculptez dans la chair un triangle en évidant les bords sur 1 cm d'épaisseur. Séchez votre tampon de pomme de terre à l'aide de papier absorbant pour éliminer l'amidon.

2. Versez la peinture textile dans une assiette en carton et trempez-y le tampon. Reportez le motif sur une feuille de papier pour vérifier la forme.

3. Tamponnez les triangles les uns à la suite des autres en suivant des lignes horizontales.

4. Repassez sur l'envers pour fixer la couleur.

Conseil

Pour un résultat plus graphique, laissez un «vide» dans le motif de temps à autre.

TOTE BAG NUMÉRO

Niveau de difficulté
Facile
Temps de réalisation
1 h
Technique
Peinture textile
Fournitures
- 1 Tote Bag de base
- De la peinture textile kaki
- Pinceau fin
- 1 bouton nacré
- Du papier carbone
- Crayon à papier

À chacune son numéro fétiche à peindre en grand pour un effet démesuré !

Explications

1. Décalquez le numéro de votre choix page 72, puis agrandissez-le à l'aide d'une photocopieuse au format souhaité et reportez-le au centre du sac en utilisant du papier carbone.

2. Peignez le numéro à l'aide d'un pinceau fin en utilisant de la peinture textile.

3. Laissez sécher, puis repassez soigneusement le sac sur l'envers pour fixer la peinture.

4. Cousez le bouton au centre de la face arrière, en haut et au centre du sac, sur l'intérieur. Réalisez une boutonnière en face du bouton, sur la face avant du sac.

Conseil

Si vous ne disposez pas de papier carbone, vous pouvez reporter le motif par transparence en plaçant une photocopie du motif dans le sac.

TOTE BAG
DEATH VALLEY

Niveau de difficulté
Facile
Temps de réalisation
30 min
Technique
Transfert
Fournitures
- 1 Tote Bag de base
- Du papier transfert pour imprimante
- Fer à repasser

Un trophée de la Vallée de la Mort à porter à l'épaule !

Explications

1. Scannez le motif page 73, puis agrandissez-le au format du sac et imprimez-le sur une feuille de papier transfert adaptée.

2. Découpez le motif au plus près du dessin et placez-le au centre du sac, puis repassez-le à l'aide d'un fer chaud. Attention : suivez les instructions portées sur l'emballage, n'utilisez pas la fonction vapeur (le transfert n'adhérerait pas) et déplacez constamment votre fer pour ne pas brûler le tissu.

3. Laissez refroidir le transfert, puis décollez doucement la feuille de protection.

Conseil

Ne repassez jamais directement sur le transfert : cela ruinerait immédiatement votre motif !

TOTE BAG ZIPPÉ «CONTE DE FÉE»

Niveau de difficulté
Difficile
Temps de réalisation
3 h
Technique
Appliqué + Broderie
Fournitures

— 1 morceau de toile
de coton naturelle
de 100 × 150 cm
de largeur
— 1 zip invisible beige
de 40 cm
— 1 morceau de biais
marron de 50 × 2,5 cm
de largeur
— 1 échevette de coton
mouliné DMC® moutarde
— Du fil à coudre écru
— 1 lacet plat en
cuir ou en coton de
60 × 0,5 cm de largeur
— Du papier carbone

Un vrai Tote Bag de princesse!

Explications

1. Lavez le tissu au préalable. Attention: cette étape est indispensable, d'une part, parce que le coton naturel rétrécit au lavage, d'autre part, parce que le tissu est bien plus joli lorsqu'il est un peu froissé et que les fibres se sont resserrées.

2. Repassez le tissu, puis coupez-y un rectangle de 82 × 39 cm (pour le sac), puis deux lanières de 65 × 7 cm (pour les anses). Les valeurs de couture (1 cm) et d'ourlet du haut du sac (1 cm) sont incluses.

3. Réalisez les anses: à l'aide du fer à repasser, marquez un revers de 1 cm sur toute la longueur ainsi que sur la largeur. Pliez l'anse en deux au centre, puis marquez le pli également au fer. **Ⓐ**

4. Cousez les trois côtés des anses à 0,2 cm du bord. **Ⓑ**

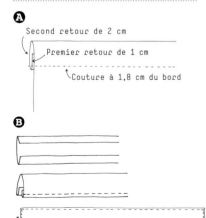

Ⓐ
Second retour de 2 cm
Premier retour de 1 cm
Couture à 1,8 cm du bord

Ⓑ
Couture à 0,2 cm des bords   Pliure

TOTE BAG ZIPPÉ
« CONTE DE FÉE »

Explications (suite)

5. Surfilez les quatre côtés du rectangle de tissu. Repliez les deux largeurs sur 1 cm et appuyez au fer.

6. Épinglez les anses à 7 cm des côtés, en les rentrant de 3 cm dans le sac. Épinglez le zip ouvert sur un côté, juste au bord du retour, sur l'endroit. Faites de même de l'autre côté. Fermez le zip à moitié, puis pliez en deux, endroit contre endroit, et cousez les longueurs à 1 cm du bord. Repassez.

7. Réalisez l'appliqué : repassez le biais en l'ouvrant. Arrondissez-le au centre en appuyant au fer. Repérez le milieu du biais, puis posez-le au centre du sac. Épinglez-le en lui donnant la forme de banderole (cf. page 73). Cousez-le au point avant avec du fil écru.

8. Brodez le message : décalquez et agrandissez à l'aide d'une photocopieuse la phrase *«Once upon a time»* situé page 73, puis reportez-la sur l'appliqué à l'aide de papier carbone. Divisez l'échevette de manière à n'utiliser que deux brins de fil mouliné moutarde, puis brodez le message au point de chaînette (cf. page 68).

9. Passez le lacet plat dans le zip et faites un nœud à la base.

TOTE BAG

TABLEAU DE SNELLEN

Niveau de difficulté

Facile

Temps de réalisation

30 min

Technique

Transfert

Fournitures

- 1 Tote Bag de base
- Du papier transfert pour imprimante
- Fer à repasser

Comme chez l'ophtalmo, un Tote Bag tout en typo…

Explications

1. Scannez le motif page 74, puis agrandissez-le au format du sac et imprimez-le sur une feuille de papier transfert adaptée.

2. Découpez le motif au plus près du dessin et placez-le au centre du sac, puis repassez-le à l'aide d'un fer chaud. Attention: suivez les instructions portées sur l'emballage, n'utilisez pas la fonction vapeur (le transfert n'adhérerait pas) et déplacez constamment votre fer pour ne pas brûler le tissu.

3. Laissez refroidir le transfert, puis décollez doucement la feuille de protection.

Conseil

Ne repassez jamais directement sur le transfert: cela ruinerait immédiatement votre motif!

TOTE BAG
TÊTE DE MORT

Niveau de difficulté
Intermédiaire
Temps de réalisation
6 h
Technique
Broderie
Fournitures
- 1 Tote Bag de base
- Du papier carbone
- 1 échevette de coton mouliné DMC® noir

Une broderie noire et un motif graphique pour cette tête de mort fleurie…

Explications

1. Décalquez le motif situé page 75, puis agrandissez-le au format souhaité à l'aide d'une photocopieuse et reportez-le au centre du sac en utilisant du papier carbone.

2. Brodez le motif avec deux brins de fil mouliné noir en utilisant le point de chaînette, le point arrière et le point de bouclette (cf. page 68).

Conseil

Si vous ne disposez pas de papier carbone, vous pouvez reporter le motif par transparence en plaçant une photocopie du motif dans le sac.

#ILOVEMYTOTEBAG

Niveau de difficulté

Intermédiaire

Temps de réalisation

3 h

Technique

Broderie

Fournitures

- 1 Tote Bag de base
sans les anses
- 1 lanière en cuir
chocolat de 130 × 2,5 cm
- Poinçon
- Roulette
- Du fil cordonnet écru
- 1 échevette de coton
mouliné DMC® bordeaux
- Du papier carbone
- Crayon à papier

Un sac chic et trendy avec de jolies anses en cuir.

Explications

1. Coupez en deux morceaux de même longueur la lanière de cuir.

2. À chaque extrémité, prémarquez, à l'aide d'une roulette, un carré de 1,7 × 1,7 cm, puis agrandissez les points avec un poinçon.

3. Placez les anses à 7 cm des deux côtés de la face avant du sac, puis cousez-les à la main avec le fil cordonnet écru en faisant un point sellier (cf. page 68).

4. Décalquez la phrase «#ilovemytotebag» située page 74, puis agrandissez-la à l'aide d'une photocopieuse au format souhaité et reportez-la à 8 cm du bas du sac, au centre de la face avant, en utilisant du papier carbone. Brodez la phrase avec deux brins de fil mouliné bordeaux en utilisant le point de chaînette (cf. page 68).

Conseils

• *Vous pouvez vous passer de la roulette en faisant simplement des trous au poinçon à intervalle régulier.*
• *Si vous ne disposez pas de papier carbone, vous pouvez reporter le motif par transparence en plaçant une photocopie du motif dans le sac.*

TOTE BAG
EN CUIR

Niveau de difficulté
Intermédiaire
Temps de réalisation
3 h
Technique
Couture
Fournitures

- 1 peau de basane
(sur www.decocuir.com,
par exemple)
- Du fil cordonnet orange
- De la colle néoprène
- Roulette
- Poinçon
- Cutter avec lame neuve
- Des pinces à linge

Tout en simplicité et en élégance,
MON Tote Bag brut en cuir…

Explications

1. Coupez deux rectangles de cuir de
37 × 40 cm et quatre lanières de 65 × 2 cm.

2. Posez les deux rectangles envers contre
envers et encollez les deux longueurs et une
largeur du sac sur 0,5 cm.

3. Passez la roulette sur les trois côtés
encollés à 0,8 cm du bord, puis, à l'aide du
poinçon, agrandissez un trou sur deux.

4. Cousez avec le fil cordonnet orange
en faisant un point sellier (cf. page 68).

5. Posez deux lanières envers contre envers,
encollez-les sur toute la surface, puis
fixez-les à l'aide des pinces à linge. Faites
de même avec les deux dernières lanières.
Laissez sécher.

6. À chaque extrémité, prémarquez, à l'aide
d'une roulette, un carré de 1,5 × 1,5 cm,
puis agrandissez les points avec un poinçon.

7. Cousez les anses à la main avec le
fil cordonnet orange en faisant un point
sellier.

POINTS DE BASE ET MOTIFS

Points de base en broderie

Passé plat

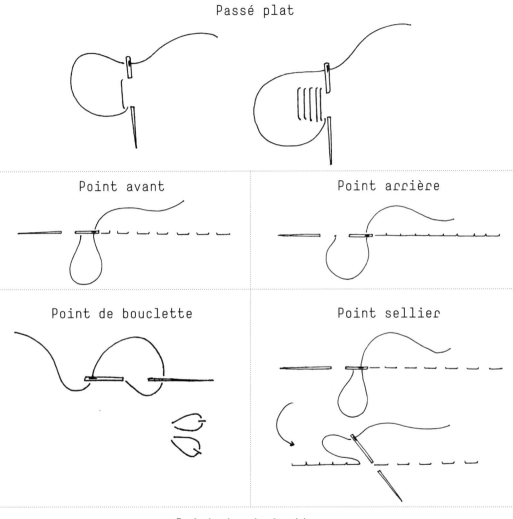

Point avant

Point arrière

Point de bouclette

Point sellier

Point de chaînette

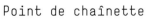
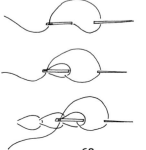

THIS IS NOT
louis vuitton
not hermès
NOT a billy
jérômeDREYFUSS
EVEN NOT
monop'

be happy

OR

DIE

(012
3456
789)

0 1 2
3 4 5
6 7 8
9

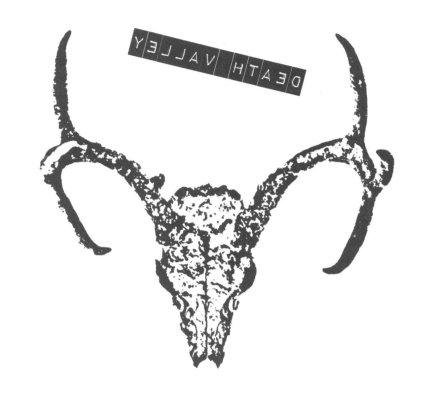

DEATH VALLEY

once upon a time

E

C B

D L N

P T F R

F Z B D E

O F L C T G

A P E O R F D Z

N P F T V Z B D F E H O

V Z T A C S C I F F Z T

#ilovemytotebag

—— : Point
      de chaînette

- - - : Point arrière

⬡ : Point de bouclette

PETIT LEXIQUE POUR APPRENTIE COUTURIÈRE

ENDROIT CONTRE ENDROIT

Ce terme signifie que l'on pose les tissus à coudre l'un sur l'autre, en les ajustant, le côté imprimé de l'un se trouvant face au côté imprimé de l'autre. Ainsi, après couture, lorsqu'on retournera les tissus, la couture se retrouvera sur l'envers.

MARGE DE COUTURE (OU VALEUR DE COUTURE)

Pour tous les ouvrages, il est ajouté à chaque longueur assemblée à une autre une petite marge, en général de 0,5 cm ou 1 cm, pour la couture. Cette marge correspond à la partie entre la couture et le bord brut du tissu.

OURLET

Un ourlet est le bord inférieur d'un vêtement. Il se réalise en cousant le tissu après l'avoir replié sur lui-même à l'intérieur du vêtement.

SURFILER

Faire une série de points à cheval sur le bord du tissu pour l'empêcher de s'effilocher.

Adresses :
— Cuir : www.decocuir.com.
— Porte-manteau en inox (p. 47) : Troisième (3)tage

© 2015, Hachette Livre (Hachette Pratique), Paris.
43, quai de Grenelle — 75905 Paris Cedex 15

Pour l'éditeur, le principe est d'utiliser des papiers composés de fibres naturelles, renouvelables, recyclables
et fabriqués à partir de bois issus de forêts qui adoptent un système d'aménagement durable.
En outre, l'éditeur attend de ses fournisseurs de papier qu'ils s'inscrivent dans une démarche
de certification environnementale reconnue.

Direction : Catherine Saunier-Talec
Responsable éditoriale : Céline Le Lamer
Responsable de projet : Lisa Grall
Responsable artistique : Antoine Béon
Conception graphique : Pauline Ricco
Fabrication : Isabelle Simon-Bourg
Partenariats : Sophie Morier (smorier@hachette-livre.fr)

PAPIER À BASE DE
FIBRES CERTIFIÉES

⊟ hachette s'engage pour
l'environnement en réduisant
l'empreinte carbone de ses livres.
Celle de cet exemplaire est de :
500 g éq. CO₂
Rendez-vous sur
www.hachette-durable.fr

Dépôt légal : avril 2014
28-4449-9 / 01
ISBN : 978-2-01-39-6753-2
Imprimé en Espagne par Cayfosa

www.hachette-pratique.com

#ilo